Rialtas na hÉireann a d'fhoilsigh an seanleagan sa bhliain 1984

ISBN 978-1-85791-675-1

Cahill Printers Teo. a chlóbhuail in Éirinn

Le fáil ar an bpost uathu seo:

An Siopa Leabhar,   *nó*   An Ceathrú Póilí,
6 Sráid Fhearchair,   Cultúrlann Mac Adam–Ó Fiaich,
Baile Átha Cliath 2.   216 Bóthar na bhFál,
ansiopaleabhar@eircom.net   Béal Feirste BT12 6AH.
                                         leabhair@an4poili.com

Orduithe ó leabhardhíoltóirí chuig:

Áis,
31 Sráid na bhFíníní,
Baile Átha Cliath 2.
eolas@forasnagaeilge.ie

An Gúm, 24-27 Sráid Fhreidric Thuaidh, Baile Átha Cliath 1

Luaithríona

Máiréad Ní Ghráda
a rinne an insint seo

Jonathan Barry
a mhaisigh

An Gúm
Baile Átha Cliath

Bhí cailín deas óg ann uair amháin. Ríona an t-ainm a bhí uirthi.

Fuair a máthair bás, agus phós a hathair bean eile. Bhí beirt iníonacha ag an mbean eile.

Ní raibh an bhean go maith do Ríona. Ná ní raibh an bheirt iníonacha go maith di.

Cailíní deasa ba ea an bheirt i dtús a saoil, ach bhí a gcroí agus a n-aigne lán d'olc, agus níorbh fhada go raibh siad gránna ar fad.

Bhí ar Ríona obair an tí a dhéanamh. Bhí uirthi na hurláir a scuabadh agus a ní.

Bhí uirthi gual agus adhmad a thabhairt isteach. Bhí uirthi an chócaireacht a dhéanamh. Bhíodh sí ag obair ó mhaidin go hoíche.

Ní hé amháin go raibh ar Ríona obair an tí a dhéanamh.

Bhí uirthi éadaí na beirte deirfiúracha a ní agus a iarnáil. Bhí uirthi a mbróga a ghlanadh.

Bhí uirthi a gcuid gruaige a ní agus a shocrú dóibh. Bhí a lán gúnaí áille ag an mbeirt. Bhí ribíní deasa acu le cur ina gcuid gruaige.

Ní raibh gúnaí áille ag Ríona. Ní raibh aici ach seanghúna liathghorm agus bróga adhmaid.

Bhíodh tuirse uirthi i ndeireadh an lae. Ach ní raibh leaba aici le luí inti. Bhíodh uirthi codladh ar an urlár sa chistin. Is minic a bhíodh sí fuar, agus luíodh sí in aice na tine. Bhíodh an luaith ar a gúna ar maidin. Sin é an fáth ar thug an bheirt deirfiúracha 'Luaithríona' mar ainm uirthi.

Bhí Rí ar an tír. Rí mór saibhir ba ea é. Bhí damhsa le bheith i dteach an Rí. Fuair gach cailín óg sa tír cuireadh chun an damhsa. Bhí Mac an Rí le cailín acu a thoghadh mar bhean.

Fuair an bheirt deirfiúracha cuireadh chun an damhsa. Amach leo chun éadaí nua a cheannach. Ní bhfuair Luaithríona cuireadh chun an damhsa.

Ní ligeadh an bheirt deirfiúracha di dul lasmuigh den teach, agus ní raibh a fhios ag aon duine í a bheith ann in aon chor.

Bhí an damhsa le bheith ann trí oíche i ndiaidh a chéile. Tháinig an chéad oíche. Shocraigh Luaithríona gruaig na beirte. Chuir sí a ngúnaí nua orthu. Chuir sí na ribíní agus na cleití ina gcuid gruaige.

'Ba mhaith liom gúna deas a bheith agam,' a deir Luaithríona léi féin.

'Ba mhaith liom Mac an Rí a fheiceáil. Ba mhaith liom damhsa a dhéanamh leis.'

Thosaigh sí ag caoineadh.

'Tusa a dhul go teach an Rí!' a deir siad, 'agus gan agat ach seanghúna salach agus bróga adhmaid.'

Tháinig an cóiste go dtí an doras. Shuigh an bheirt deirfiúracha isteach sa chóiste, agus d'imigh siad leo. Shuigh Luaithríona cois na tine agus í ag briseadh a croí ag caoineadh.

Leis sin, chuala sí an duine ag caint léi.

'Cén fáth a bhfuil tú ag caoineadh?' a deir an duine.

Phreab sí ina seasamh. Bean a bhí ann — seanbhean a raibh gáire ar a béal.

'C-c-c-cé thusa?' a deir Luaithríona.

'Mise do mháthair bhaistí,' a deir an tseanbhean.

'Sióg mé. Iarr orm aon ní is maith leat, agus tabharfaidh mé duit é.'

'Ba mhaith liom dul chun an damhsa,' a deir Luaithríona.

'Ba mhaith liom Mac an Rí a fheiceáil. Ach níl gúna deas agam. Níl bróga deasa agam. Níl agam ach an seanghúna liathghorm seo agus na bróga gránna seo ar mo chosa.'

'Rachaidh tú chun an damhsa,' a deir an tseanbhean. 'Déan mar a deirim leat.'

'Faigh an puimcín is mó sa ghairdín,' a deir an tseanbhean, 'agus tabhair leat isteach é.'

Amach le Luaithríona. Fuair sí an puimcín ba mhó sa ghairdín, agus thug sí léi é.

Bhí slaitín draíochta ag an tseanbhean. Bhuail sí an puimcín lena slaitín draíochta agus rinne cóiste de.

Ní fhaca tú riamh cóiste chomh hálainn leis. D'ór buí a bhí sé déanta, agus líneáil de shíoda dearg taobh istigh.

Bhí ceithre roth faoin gcóiste, agus gach roth acu déanta d'ór buí. Bhí suíochán deas dearg istigh ann, agus suíochán breá ard amuigh air.

'Rith leat anois,' a deir an tseanbhean. 'Tabhair chugam gaiste na luch. Tá sé sa chófra sa chistin.'

Rith Luaithríona go dtí an chistin. D'oscail sí an cófra. Bhí gaiste na luch sa chófra. Bhí sé luch sa ghaiste. Thug sí an gaiste agus na lucha don tseanbhean.

Bhuail an tseanbhean an gaiste lena slaitín draíochta. D'oscail an doras agus rith na lucha amach.

Bhuail an tseanbhean na lucha lena slaitín draíochta agus rinne capall bán de gach luch acu.

Chuaigh na sé chapall bhána faoin gcóiste.

'Rith leat anois,' a deir an tseanbhean. 'Tabhair chugam an gaiste mór iarainn ón gcúlchistin.'

Rith Luaithríona go dtí an chúlchistin. Bhí francach mór liath sa ghaiste.

Thug Luaithríona an gaiste don tseanbhean. Bhuail an tseanbhean doras an ghaiste lena slaitín draíochta. D'oscail an doras agus rith an francach amach.

Bhuail an tseanbhean an francach lena slaitín draíochta, agus rinne fear breá mór de.

Bhí cóta dearg ar an bhfear. Bhí bríste gorm air. Bhí stocaí bána air agus búclaí geala ar a bhróga. Bhí peiriúic bhán air agus lámhainní bána ar a dhá lámh. Bhí hata mór aige le cur ar a cheann.

'Sin é do chóisteoir,' a deir an tseanbhean.

Léim an cóisteoir in airde ar an gcóiste agus shuigh sé sa suíochán amuigh air.

'Rith leat go dtí an gairdín,' a deir an tseanbhean.

'Tá dhá earc luachra faoi na potaí ag bun an ghairdín. Tabhair chugam iad.'

Rith Luaithríona go dtí an gairdín. D'fhéach sí faoi na potaí ag bun an ghairdín. Fuair sí an dá earc luachra agus thug sí léi iad. Bhuail an tseanbhean an dá earc luachra lena slaitín draíochta, agus rinne beirt ghiollaí díobh.

Bhí cóta dearg ar gach giolla acu, agus lásaí óir ar gach cóta. Bhí bríste gearr gorm ar gach duine acu agus búclaí geala ar a bhróga aige.

Bhí peiriúic bhán ar gach giolla agus hata aige le cur ar a cheann.

Bhí anois, os comhair dhoras an tí amach, cóiste breá mór, a raibh líneáil de shíoda dearg air agus sé chapall bhána faoi.

Bhí cóisteoir ann, a raibh cóta dearg agus bríste gearr gorm air, búclaí geala ar a bhróga, agus peiriúic bhán agus hata mór ar a cheann.

Bhí beirt ghiollaí ann faoi chótaí dearga agus faoi lásaí óir, le doras an chóiste a oscailt agus a dhúnadh.

D'fhéach Luaithríona síos uirthi féin.

'Buille beag eile den tslaitín draíochta,' a deir an tseanbhean.

Ansin is ea d'fheicfeá an radharc.

Bhí gúna álainn de shíoda bándearg ar Luaithríona. Bhí bróga bándearga ar a cosa. Bhí róisíní ina cuid gruaige, agus an ghruaig crochta siar ina fáinní óir.

Jonathan Barry

Ní fhaca tú riamh cóiste chomh breá leis an gcóiste, ná cailín chomh hálainn le Luaithríona.

'Chun bóthair leat!' a deir an tseanbhean. 'Ach bí ar ais anseo roimh uair an mheán oíche. Chomh luath agus a bhuailfidh an clog uair an mheán oíche, déanfaidh puimcín den chóiste. Déanfaidh lucha de na capaill. Déanfaidh francach den chóisteoir. Déanfaidh dhá earc luachra den bheirt ghiollaí. Agus ní bheidh ort féin ach an seanghúna liathghorm agus na bróga adhmaid.'

'Geallaim duit go mbeidh mé ar ais anseo roimh uair an mheán oíche,' a deir Luaithríona.

D'fhág Luaithríona slán ag an
tseanbhean. D'oscail na giollaí doras
an chóiste di.

Shuigh sí ar an suíochán deas dearg.
Dhún na giollaí doras an chóiste agus
d'imigh na capaill leo ar cosa in airde.

Tháinig Luaithríona go teach an Rí.
Bhí an bheirt deirfiúracha ann.

'Cé hí an bhean uasal álainn sin?' a
deir siad.

Bhí Luaithríona chomh hálainn sin
nach raibh a fhios acu gurbh í a bhí
ann. Shíl siad go raibh Luaithríona
cois na tine sa bhaile.

'Cé hí an cailín álainn sin?' a deir
Mac an Rí. 'Ní fhaca mé riamh cailín
chomh hálainn léi.'

Tháinig sé chuici. Rug sé ar lámh
uirthi. Rinne siad damhsa lena chéile.

As sin amach ní dhearna Mac an Rí
damhsa le haon chailín ach í.

Bhí croí Luaithríona lán d'áthas.
Ach chuimhnigh sí ar an bhfocal a
dúirt an tseanbhean léi:

'Bí ar ais sa bhaile roimh uair an
mheán oíche.'

Nuair a bhuail an clog ceathrú chun
a dó dhéag d'fhág Luaithríona an
seomra damhsa.

Ní fhaca aon duine ag imeacht í. Bhí
an cóiste ag fanacht léi. Bhí na sé
chapall bhána faoin gcóiste. Bhí an
cóisteoir ina shuí in airde air. Bhí an
bheirt ghiollaí ann chun an doras a
oscailt di.

Bhí sí díreach ag doras a tí féin nuair
a bhuail an clog uair an mheán oíche.

Leis sin, rinne puimcín den chóiste.
Rinne lucha de na sé chapall bhána.
Rinne francach den chóisteoir. Rinne
dhá earc luachra den bheirt ghiollaí.

Agus ní raibh ar Luaithríona ach an
seanghúna liathghorm agus na bróga
adhmaid.

Shuigh Luaithríona cois na tine. Bhí sí ansin nuair a tháinig an bheirt deirfiúracha abhaile ón damhsa.

'Bhí an damhsa thar barr,' a deir siad. 'Bhí cailín álainn ann. Ní fhaca aon duine riamh cailín chomh hálainn léi. Bhí gúna bándearg uirthi. Bhí bróga beaga síoda uirthi. Bhí róisíní ina cuid gruaige agus an ghruaig crochta siar ina fáinní óir.'

'Cérbh í féin?' a deir Luaithríona.

'Ní raibh a fhios ag aon duine cérbh í féin. Ach ní dhearna Mac an Rí damhsa le haon chailín eile. D'imigh sí roimh uair an mheán oíche. Ní fhaca aon duine ag imeacht í.'

D'éist Luaithríona leis an gcaint. Ach ní dúirt sí aon ní.

Tháinig an dara hoíche. Chuir an bheirt deirfiúracha a ngúnaí nua orthu agus d'imigh siad leo.

Shuigh Luaithríona cois na tine agus í ag caoineadh. Leis sin, tháinig an tseanbhean. Rinne sí gach rud díreach mar a rinne an oíche roimhe sin.

Rinne sí cóiste agus sé chapall bhána. Rinne sí cóisteoir faoina chóta dearg agus a bhríste gearr gorm. Rinne sí beirt ghiollaí faoina lásaí óir.

'Buille beag eile den tslaitín draíochta,' a deir sí, 'agus beidh gúna álainn eile ort.'

Síoda gorm a bhí sa ghúna agus lása airgid air. Bhí bróga beaga airgid ar a cosa ag Luaithríona. Bhí seoda geala mar a bheadh réaltaí ina cuid gruaige, agus an ghruaig siar síos léi ina fáinní óir.

'Chun bóthair leat!' a deir an tseanbhean, 'ach bí ar ais anseo roimh uair an mheán oíche.'

Bhí Mac an Rí ag fanacht le Luaithríona. Ní dhearna sé damhsa le cailín ar bith go dtí gur tháinig sí. As sin amach ní dhearna sé damhsa le haon chailín ach í.

Bhí gach duine ag féachaint ar Luaithríona.

'Ní foláir nó is iníon rí ó thír eile í,' a dúirt gach duine. Ba bheag nár dhearmad Luaithríona an focal a dúirt an tseanbhean léi:

'Bí ar ais sa bhaile roimh uair an mheán oíche.'

Nuair a d'fhéach sí ar an gclog bhí sé cúig nóiméad chun a dó dhéag.

Rith sé léi as an seomra damhsa. Ní fhaca aon duine ag imeacht í.

Bhí an cóiste ag fanacht le Luaithríona. D'oscail na giollaí an doras di. Léim sí isteach. D'imigh na capaill ar cosa in airde. Ach ní raibh siad ach leath slí chun an bhaile nuair a bhuail an clog uair an mheán oíche.

Leis sin, rinne puimcín den chóiste.
Rinne lucha de na sé chapall. Rinne
francach den chóisteoir. Rinne dhá
earc luachra den bheirt ghiolla. Agus
fágadh Luaithríona i lár an bhóthair
agus gan uirthi ach an seanghúna
liathghorm agus na bróga adhmaid.

Rith sí chomh mear agus a bhí ina
cosa. Bhí sí sa bhaile, agus í ina suí
cois na tine, nuair a tháinig an bheirt
deirfiúr.

'Bhí an bhean uasal álainn ar an
damhsa,' a deir siad. 'Ní dhearna Mac
an Rí damhsa le haon chailín ach í.'

'Cérbh í féin?' a deir Luaithríona.

'Níl a fhios ag aon duine,' a deir
siad. 'Ach ní foláir nó is iníon rí ó thír
eile í.'

D'éist Luaithríona leis an gcaint.
Ach ní dúirt sí aon ní.

Tháinig an tríú hoíche agus an tríú damhsa. Chuir an bheirt deirfiúracha a ngúnaí nua orthu. Shocraigh Luaithríona a gcuid gruaige dóibh. Shuigh siad isteach ina gcóiste agus d'imigh siad.

Leis sin, tháinig an tseanbhean. Rinne sí gach ní mar a rinne sí an dá oíche eile. Rinne sí cóiste agus sé chapall bhána. Rinne sí cóisteoir faoina chóta dearg, agus a bhríste gearr gorm. Rinne sí beirt ghiollaí faoina lásaí óir.

'Buille beag eile den tslaitín draíochta,' a deir sí.

D'fhéach Luaithríona síos uirthi féin. Bhí gúna álainn d'éadach óir uirthi. Bhí muinche gheal uirthi agus coróin gheal ar a ceann. Ní fhaca sí riamh cailín chomh hálainn léi.

'Chun bóthair leat!' a deir an tseanbhean. 'Bí ar ais sa bhaile roimh uair an mheán oíche.'

Bhí Mac an Rí ag fanacht le
Luaithríona. Ní dhearna sé damhsa le
cailín ar bith go dtí gur tháinig sí.

As sin amach ní dhearna sé damhsa
le haon chailín ach í.

Bhí croí Luaithríona lán d'áthas.
Níor chuimhnigh sí ar an am. Níor
chuimhnigh sí ar an bhfocal a dúirt
an tseanbhean léi.

Thosaigh an clog ag bualadh. Bhí
uair an mheán oíche ann. Ansin is ea
a chuimhnigh Luaithríona uirthi féin.

Amach léi as an seomra damhsa.
Rith sí chomh mear sin gur thit a bróg
di. Níor fhan sí leis an mbróg a
thógáil. D'fhág sí ansin ar an staighre
í. Chonaic Mac an Rí an bhróg ar an
staighre. Thóg sé an bhróg agus
d'fhéach sé uirthi.

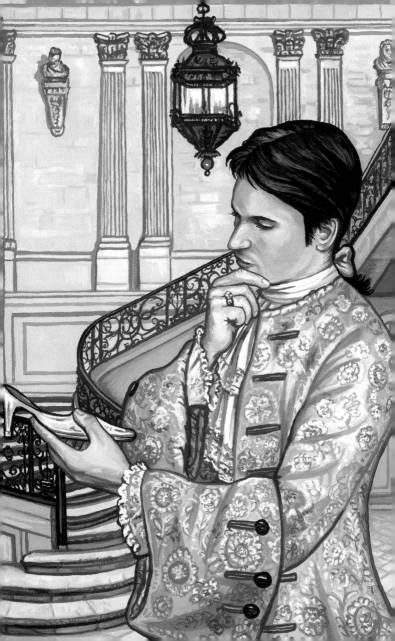

Rith Luaithríona chomh mear agus a bhí ina cosa. Ach bhí sé ródhéanach aici.

Ní raibh an cóiste ann. Ní raibh na sé chapaill ann. Ní raibh an cóisteoir ann. Ní raibh an bheirt ghiollaí ann. Ní raibh ann ach an puimcín. Bhí na lucha agus an francach agus an dá earc luachra glanta leo as an áit. Agus ní raibh ar Luaithríona ach an seanghúna liathghorm agus na bróga adhmaid.

Rith sí an bóthar ar fad abhaile. Bhí sí ina suí cois na tine nuair a tháinig an bheirt deirfiúracha.

Maidin lá arna mhárach, chuaigh Mac an Rí chun cainte lena athair.

Bhí an bhróg ina lámh aige.

'Ní phósfaidh mé aon chailín ach an cailín ar léi an bhróg seo,' a deir sé.

Chuaigh Mac an Rí ar fud na tíre agus é ag marcaíocht ar chapall bán. Bhí giolla ag siúl roimhe amach, agus an bhróg ar chúisín corcra idir a dhá lámh aige.

D'fhógair an giolla go bpósfadh Mac an Rí an cailín a rachadh an bhróg ar a cos. Bhí gach cailín sa tír ag iarraidh an bhróg a chur ar a cos.

Ach níorbh aon mhaith dóibh é.

Bhí draíocht sa bhróg. Ní rachadh sí ar aon chos ach amháin ar chos Luaithríona. Faoi dheireadh, tháinig Mac an Rí go teach Luaithríona.

'Tabhair dom an bhróg sin go gcuirfidh mé orm í,' a deir an deirfiúr ba shine.

Bhrúigh sí a cos. D'fháisc sí a cos. Ach ní rachadh an bhróg uirthi.

'Tabhair domsa í,' a deir an deirfiúr eile. Bhrúigh sise a cos. D'fháisc sí a cos go dtí go raibh an chos ag cur fola.

Ach ní rachadh an bhróg uirthi.

Bhí athair Luaithríona ag féachaint orthu agus gan focal as.

'An bhfuil iníon eile agat? a deir Mac an Rí leis.

'Tá iníon eile agam, a deir an t-athair. 'Tá sí sa chistin.

'Níl inti ach cailín beag salach,' a deir an bheirt deirfiúracha.

'Ba mhaith liom í a fheiceáil,' a deir Mac an Rí.

Tháinig Luaithríona.

Thug an giolla an bhróg di. Shuigh sí síos. Chuir sí an bhróg ar a cos.

D'fhéach Mac an Rí uirthi.

'Is í seo an bhean uasal álainn a raibh mé ag damhsa léi,' a deir sé. 'Is í seo an bhean uasal a phósfaidh mé, má tá sí sásta liom.'

Leis sin, tháinig an tseanbhean. Bhuail sí Luaithríona lena slaitín draíochta, agus rinne gúna álainn síoda den seanghúna liathghorm.

D'ardaigh Mac an Rí ar a chapall í, agus d'imigh an capall leis ar cosa in airde.

Thug Mac an Rí Luaithríona leis go teach a athar.

'Is í seo an bhean uasal is rogha liom,' a deir sé. 'Agus tá sí sásta mé a phósadh.'

Chuir an Rí agus an Bhanríon fáilte roimpi.

Thug an Rí féasta seacht lá agus seacht n-oíche ina theach.

Phós Mac an Rí Luaithríona agus mhair siad go sona sásta an chuid eile dá saol.